Ik rijm, rijm, rijm

2e druk 2012
ISBN 978.90.487.1054.6
NUR 287/291

Deze versjes zijn eerder verschenen in de serie *Boeken vol versjes* (2011, Uitgeverij Zwijsen B.V.).

© Uitgeverij Zwijsen B.V. Tilburg, 2012
Tekst: Elle van Lieshout en Erik van Os (pagina 8, 9, 10, 11, 20, 40, 41, 42), Maria van Eeden (pagina 12, 13, 14, 15, 38), Riet Wille (pagina 16, 17, 18, 19, 34, 35, 36, 37), Bette Westera (pagina 22, 23, 24, 48, 49, 50, 51), Frank van Pamelen (pagina 26, 27, 28, 29, 52, 53, 54) en Bas Rompa (pagina 30, 31, 32, 44, 45, 46, 47)
Versjes maken: projectgroep Zwijsen
Omslagillustratie: Claudia Verhelst
Illustraties: Hugo van Look (pagina 8, 9, 10, 11, 40, 41, 42, 43), Paula Gerritsen (pagina 12, 13, 14, 15, 38, 39), Loes Riphagen (pagina 16, 17, 18, 19, 34, 35, 36, 37), Barbara de Wolf (pagina 22, 23, 24, 25, 48, 49, 50, 51), Mieke Driessen (pagina 26, 27, 28, 29, 52, 53, 54, 55) en Claudia Verhelst (pagina 20, 21, 30, 31, 32, 33, 44, 45, 46, 47)
Vormgeving: Rob Galema

Voor België:
Uitgeverij Zwijsen.be, Antwerpen
D/2012/1919/85

Inhoud

sip	8
maan roos mis!	10
vis en mik en ik	11
ik	12
boos	14
beer	16
ijs	17
ik ...	18
een boom met een raam	19
ik rijm, rijm, rijm	20
de nies	22
hoe zit dat?	23
naar de zon	24
ik tel	26
hier en daar	27
de beer wil meer	28
koor	30
sik	31
jeuk	32
Ik bak een koe	34
Het dak op	35
Pas maar op, of ...	36

Een twee drie	38
Let op!	40
Door dat gat in het bad	41
Het gaat nog eens fout	42
Vliegen	44
Schommel	45
Kraan	46
Tafel	47
Alle kleren van mijn tante	48
Lees hardop voor	49
Vieze liedjes	50
Het beste paard van stal	51
Als ik eens	52
Wie op wie	53
Waarom?	54
Versjes maken, dat kun jij ook!	56

sip

roos en moos en sim en pim.　　　pip en pep.

pik, pik, pik.
ik pik roos.
en ik pik moos.

pik, pik, pik.
ik pik sim.
en ik pik pim.

roos is sip.
en moos is sip.
sim is sip.
en pim is sip.

ik mep!
ik mep pip.
en ik mep pep!

en pep en pip?
pep is sip.
en pip is sip.

maan roos mis!

maan roos is?
maan roos **s**is?
maan roos **m**is!

mis!
mis!
mis!

maan roos vis!

vis en mik en ik

boos

ik ben boos.

en roos
is boos.

ik ben een poos boos.
maar ...
oo.
ik mis roos.

roos!
roos!!

beer

een beer in een meer.

een beer met een peer.

een beer met een veer.

een beer met een beer.

ijs

room
room
room
ijs met bes
ijs met peer
ijs met reep
ijs met noot
mmmmmmmmm
koek koek koek
koe koek koek
koe koe koek
koe koe koe
oe koe koe
oe oe koe
oe oe oe
oe oe
oe
oe
oe
e

ik ...

ik rem.
doet een rem.
ik boor.
doet een boor.
ik rijm.
doet een rijm.
ik vis.
doet een vis.
ik rook.
doet de rook.
en ik?
doet de boer.
ik

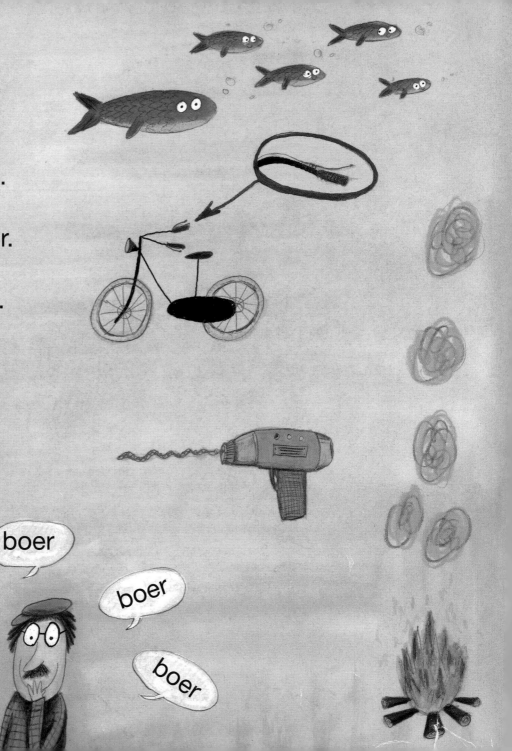

een boom met een raam

dit is mijn oom.
dit is mijn boom.

saar met een doek.
oom met een boek.

een pin en een boor.
oom en ik zijn een koor.

ik kijk door een raam.
de maan is aan.

ik rijm, rijm, rijm

ik rijm, rijm, rijm
oen, boen, doen
ik rijm, rijm, rijm
koen, toen, zoen
ik rijm, rijm, rijm
aas, baas, vaas
ik rijm, rijm, rijm
maas, daas, kaas
ik rijm, rijm, rijm
mee, nee, zee
ik rijm, rijm, rijm
rijm maar mee!

koen

maas

21

de nies

hee, een nies.

een nies van wie?

was het de nies van mies?
was het de nies van lies?
was het de nies van wies?

mies was het niet.
lies was het niet.
van wie was dan die nies?

was wies het niet?
wies was het wel.
wies was het heus.

niet waar.
het was niet wies.
het was haar neus.

hoe zit dat?

de aap zit in de boom.
en jaap zit ook in de boom.

de aap en jaap?
jaap en de aap?
in de boom?

ik zie er maar één.
er zit er maar één in die boom.

hoe kan dat?
hoe zit dat?
weet jij het?

de aap heet jaap.

23

naar de zon

ik zeil met de juf
in een boot op de zee.
mijn zus wil dat ook,
maar mijn zus mag niet mee.
mijn zus wil de baas zijn,
zij mag er niet bij.
de boot is van haar,
maar de juf is van mij.

ik zeil naar de zon,
en de juf eet een vis.
ik zeg: 'het is fijn
dat mijn zus hier niet is.'
ik zeil naar de zon
en ik geef haar een kus.
zij wil niet de baas zijn.
was zij maar mijn zus.

ik tel

ik
ik tel
ik tel meer
ik tel veel meer
ik tel heel veel meer
ik tel niet heel veel meer
ik tel niet veel meer
ik tel niet meer
ik tel niet
ik niet
ik

hier en daar

'ik loop hier en jij loopt daar.'

'nee,' roep ik, 'dat is niet waar.'

'nee,' roep jij, 'dat is niet waar.'

'ik loop hier en jij loopt daar.'

27

de beer wil meer

meer, meer
ik wil meer
geef die koek maar, zei de beer
heel mijn buik gaat op en neer
ik wil meer

meer, meer
ik wil meer
geef die vis hier, zei de beer
en ik zeg het weer een keer
ik wil meer

meer, meer
ik wil meer
nog meer kaas, dat riep de beer
soep en sap en peen en peer
ik wil meer

meer, meer
wil ik meer?
au au au, mijn buik doet zeer
heel mijn lijf is net van leer

nee, ik hoef niet meer

koor

hoor!

de uil, de pauw en de duif.
ze doen wat in koor.

de uil gilt, de pauw mauwt.
de duif zit er voor.

hij heeft een tak in zijn poot.
hij geeft de maat aan.

noem jij dit een koor?
dan ben ik de maan!

sik

in de wei daar loopt een geit.
en haar naam is mek-kie.
saar roept haar of ik roep haar.
dan komt zij naar het hek-kie.

'saar, is het niet raar,' zeg ik.
'wat moet mek-kie met een sik?'
saar roept dan naar mek-kie:
'zij noemt jou een gek-kie!'

jeuk

mijn poes lag op mijn jas.

voor poes was dat leuk.
maar voor mij is het jeuk.

ik gil door het huis.
'kan mijn jas in de was?'

'weet je wat,' zegt pap.
'neem een duik in de zee.

en neem zeep en poes mee.'

Ik bak een koe

1

Ik bak een koe.
Kijk maar hoe.

2

Ik neem een ei.
Roer er meel bij.

3

Wat zie je hier?
Een koe of vier.

4

Zoek zoek zoek ...
Waar is de koek?

Het dak op

ik
ik zit
ik zit hoog
ik zit hoog op
ik zit hoog op het
ik zit hoog op het dak
ik zit hoog op het dak van
ik zit hoog op het dak van mijn
ik zit hoog op het dak van mijn huis
dag duif.
ik wuif naar de duif.
dag mus.
ik geef een kus aan de mus.
dag mees.
ik lees een boek voor aan de mees.
en de uil?
die zie ik niet.
oehoe oehoe oehoe ... de uil is moe.

Pas maar op, of ...

De kat is wel eens stout.
Oo oo oo ...
Dat gaat vast fout!

De goudvis staat
hoog op de kast.
De kat ziet een stoel
die net past.

Ik neem de viskom mee
en ga op zoek naar één ...
twee ...

De kat hoort: 'Woef, woef, waf.
Blijf van die goudvis af!'

37

Zing dit versje op de melodie van Hop hop hop, paardje in galop

Een twee drie

Een, twee, drie:
Koen en Kee en Fie.
Fie ben ik.
Mijn zus is Kee.
Mijn broer is Koen,
dus tel maar mee.
Van één en twee en drie:
Koen en Kee en Fie.

Let op!

'Let op, juf Plien.
Ik laat je wat zien.

Een e zit in hen.
En een e zit in pen.
Een i zit in schip.
En een i zit in kip.

Een ei zit in teil.
En een ei zit in kei.
Een ei zit in zeil.
En een ei zit in wei.

Maar ...
een ei zit niet in kip.
En een ei zit niet in hen.
Zie jij, juf Plien,
hoe slim ik ben?'

40

Door dat gat in het bad

Durf ik niet?
Durf ik wel?
Ik durf niet.
Maar ik doe het wel!

Ik duik en zwem
– zo snel als een pijl –
door het gat in het zeil.
De juf roept blij:
'Wat goed van jou!'

Wat goed van mij.
Zeg dat wel.
Wat ging ik snel.
Ik ging als een speer!

'Juf, zeg juf,
zal ik nog een keer?'

Het gaat nog eens fout

Ik speel met vuur.
Dat moet van mam.

Ik gooi nog wat hout
in het hart van de vlam.

Ik heb het niet koud.
Maar het moet van mam.

Dag en nacht en uur na uur
speel ik dus maar braaf met vuur.

Zo veel als ik kan,
zo veel en zo vaak.

Ik hou er niet van.
Maar wat moet je als draak?

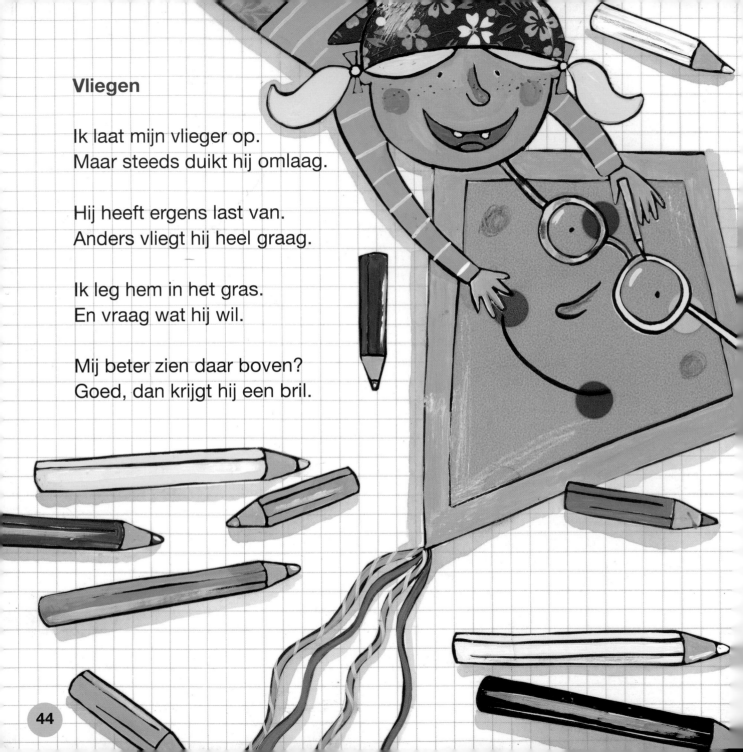

Vliegen

Ik laat mijn vlieger op.
Maar steeds duikt hij omlaag.

Hij heeft ergens last van.
Anders vliegt hij heel graag.

Ik leg hem in het gras.
En vraag wat hij wil.

Mij beter zien daar boven?
Goed, dan krijgt hij een bril.

Schommel

Tussen de rommel
in de hoek van de schuur
ligt mijn schommel.

Hij is al vier jaar.
Zijn touw is oud en stuk.
Hij vond mij te zwaar.

Mama riep nog: 'Stop!
Hou je goed vast!
Ik vang je wel op!'

Hij hing er moe bij,
mijn schommel.
Maar mama was blij.

En de boom ook.
Volgens mij.

Kraan

Mama kan er niet tegen.
Onze kraan is kapot.
Hij druppelt maar door.
Mama ergert zich rot.

Ze zucht en ze moppert.
Ze klaagt en ze scheldt.
Het helpt toch niet, hoor.
Dat heb ik haar verteld.

De kraan wil best stoppen.
Maar het lukt gewoon niet.
De druppels zijn tranen.
Onze kraan heeft verdriet.

Tafel

Laten we van de hond
een nieuwe tafel maken.

Leuk, heel goed plan.
Hier is een oud laken.

Leg het over zijn rug,
over zijn staart en kop.

Met een mooie vaas er op,
is onze nieuwe tafel top.

Doe de deur eens open.
Dan kan hij de tuin in lopen.

Alle kleren van mijn tante

Alle kleren van mijn tante
zijn gemaakt van oude kranten.
Al haar kousen, al haar sokken.
Al haar broeken en haar rokken.
Zelfs haar mutsen en haar wanten
zijn gemaakt van oude kranten.

Waarom doet ze dat, mijn tante?
Is mijn tante dan zo arm?
'Nee,' zegt tante, 'oude kranten
zijn gewoon zo heerlijk warm.'

Kijk, daar heb je haar, mijn tante.
In haar jas van oude kranten.
Warmer kan een jas niet wezen.
En je kunt hem ook nog lezen.
Wil je ook een jas van kranten?
Koop er eentje van mijn tante.

Lees hardop voor

Niels, de slimme slak, stapt op zijn scheve sleetje.
Niels, de slome slak, stapt op zijn snelle sleetje.
Niels, de stoute slak, stapt op zijn slome sleetje.
Niels, de slappe slak, stapt op zijn stoere sleetje.
Niels, de stoere slak, stapt op zijn snelle sleetje.

Vieze liedjes

Er zaten zeven zussen
te zingen in het bad.
Ze zongen onder water.
Hun liedjes werden nat.

Het waren vieze liedjes,
met heel veel poep en pies.
Dat heb je soms met zussen.
Die doen alleen maar vies.

Ze zongen onder water.
Dat vonden ze gewoon.
Ze zongen alle zeven
hun vieze liedjes schoon.

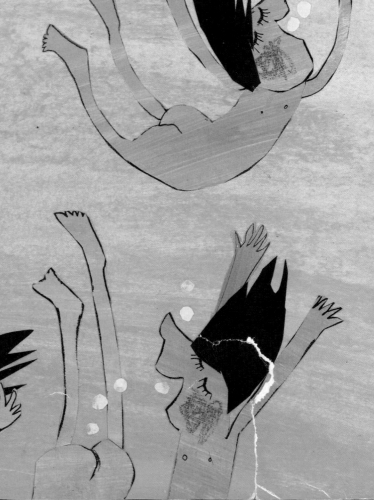

Het beste paard van stal

Dit is de knappe hengst Amal.
Hij is het beste paard van stal.
Hij stapt het best.
Hij draaft het best.
Hij hinnikt harder dan de rest.
Hij loopt de hele tijd op kop.
Hij heeft zijn hooi het eerste op.
Hij maakt per dag de meeste mest.
Hij eet meer haver dan de rest.
Hij kan het hoogste springen.
En meer van dat soort dingen.

Dit is de knappe hengst Amal.
Hij is het beste paard van stal.
Hij kan maar een ding niet zo goed.
En dat is: stilstaan als het moet.

Als ik eens

Als ik eens een kameel streel,
is dat supervet.
En als ik ooit een buffel knuffel,
is dat je van het.
Dat ik een keer een haai aai,
lijkt me heerlijk, zeg.
Maar voordat ik mijn zus kus,
loop ik gillend weg.

Wie op wie

Martijn is op Sanne.
Marloes is op Sam.
Jan-Willem op Meike
en Roosje op Bram.

Jasmijn is op Jesse
en Pieter en Loek.
Jeroen is op Anne
en ik ben op zoek.

Waarom?

Waarom is mijn laars
zo paars?

Waarom is mijn schort
zo kort?

Waarom zit mijn haar
zo raar?

Dat is mijn geheim.

Waarom is mijn mond
zo rond?

Waarom is mijn been
van steen?

Waarom zit mijn oog
zo hoog?

Dat komt door het rijm!

Versjes maken, dat kun jij ook!

Dit boek staat vol versjes. Ze zijn geschreven door échte schrijvers en de tekeningen zijn gemaakt door échte tekenaars. Maar jij kunt ook versjes schrijven. En als je er een mooie tekening bij maakt, kunnen ze zo in een boek. Op deze bladzijden vind je tips om de mooiste versjes te maken. Veel rijmplezier!

tip 1

Soms zie je een versje dat je kunt zingen. Kijk maar eens naar de versjes **naar de zon**, **sik** en **Een twee drie**.

1. Denk aan een bekend kinderliedje.
1, 2, 3, 4, hoedje van, hoedje van
2. Schrijf eerst alle woorden van dit liedje op.
3. Bedenk dan nieuwe woorden voor je liedje.
1, 2, 3,4, nieuwe pen, nieuwe pen
1, 2, 3,4, nieuwe pen voor mij
En als ik dan wil schrijven gaan, schrijven gaan, schrijven gaan
En als ik dan wil schrijven gaan
Dan is die pen voor mij!

tip 2

Kijk eens naar de versjes **ijs** en **Het dak op**. Je ziet al aan de vorm waar het versje over gaat.

1. Bedenk over welk ding je wilt schrijven. Bijvoorbeeld over een boot of over een bal.
2. Teken op een leeg vel papier met potlood de omtrek van het ding waarover je gaat schrijven.
3. Schrijf de vorm vol met woordjes over dat ding.
4. En klaar is je gedicht!

56

tip 3

Je kunt ook een versje in een stripverhaaltje zetten. Er staan veel stripverhaaltjes in dit boek. Kijk bijvoorbeeld maar naar het versje **Ik bak een koe**.

1. Bedenk waar je versje over zal gaan.
   Ik ga een tekening maken.
2. Bedenk de eerste twee regels van je versje. Ze moeten wel rijmen.
   Ik teken een poes.
   Is het geen snoes?
3. Bedenk de volgende twee regels.
   Ik teken een hond
   met een lachende mond.
4. Ten slotte maak je twee regels als einde van je verhaaltje.
   Mijn hond die zegt: 'Waf.'
   Mijn tekening is af.
5. En natuurlijk teken je het stripverhaaltje erbij.

tip 4

Veel versjes gebruiken rijm. Kijk maar naar het versje **Het beste paard van stal**.

Je kunt de rijmwoorden aan het eind van elke zin zetten.
Dan rijmen de zinnen.

1. Bedenk waarover je wilt schrijven.
   kip
2. Bedenk de eerste zin.
   Mijn kip legt een ei.
3. Verzin een leuk rijmwoord en schrijf zin twee.
   En weet je wat ze zei?
4. Bedenk een nieuwe zin.
   Mijn kip zei: 'Tok.'
5. Verzin weer een leuk rijmwoord en schrijf zin vier.
   Ze legt het ei op mijn rok.
6. En klaar is je versje!

57